ATTACHE TA TUQUE, MARIE-P!

Catalogage avant publication de Bibliothèque et Archives nationales du Québec et Bibliothèque et Archives Canada

Latulippe, Martine, 1971-

    Attache ta tuque, Marie-P!

    (Les aventures de Marie-P ; 9)
    Pour enfants.

    ISBN 978-2-89591-205-7

    I. Boulanger, Fabrice. II. Titre. III. Collection : Latulippe, Martine, 1971- . Aventures de Marie-P ; 9.

PS8573.A781A87 2014   jC843'.54   C2014-940291-0
PS9573.A781A87 2014

Révision et correction : Annie Pronovost

Tous droits réservés
Dépôts légaux : 3e trimestre 2014
Bibliothèque nationale du Québec
Bibliothèque nationale du Canada
ISBN : 978-2-89591-205-7

© 2014 Les éditions FouLire inc.
4339, rue des Bécassines
Québec (Québec) G1G 1V5
CANADA
Téléphone : 418 628-4029
Sans frais depuis l'Amérique du Nord : 1 877 628-4029
Télécopie : 418 628-4801
info@foulire.com

Les éditions FouLire reconnaissent l'aide financière du gouvernement du Canada par l'entremise du Fonds du livre du Canada pour leurs activités d'édition.

Elles remercient la Société de développement des entreprises culturelles du Québec (SODEC) pour son aide à l'édition et à la promotion.

Elles remercient également le Conseil des arts du Canada de l'aide accordée à leur programme de publication.

Gouvernement du Québec – Programme de crédit d'impôt pour l'édition de livres – gestion SODEC.

IMPRIMÉ AU CANADA/PRINTED IN CANADA

ATTACHE TA TUQUE, MARIE-P !

MARTINE LATULIPPE

Illustrations : Fabrice Boulanger

À Gabriel Leclerc

MARIE-P TE PROPOSE UNE MISSION!

Développe tes qualités d'observation pour devenir détective, comme Marie-P! Six lettres mystérieuses se sont glissées dans certaines illustrations du roman marquées par une loupe 🔍. Cherche ces lettres, qui n'ont pas leur place dans le décor! Une fois que tu les auras toutes trouvées, remets-les en ordre pour former un mot. Ce mot te donnera un indice pour aider Marie-P à résoudre le mystère de cette enquête.

Note les lettres et vérifie ta réponse en participant au jeu « Mon enquête! », sur www.mariepdetective.ca.

AVANT DE COMMENCER MA NOUVELLE AVENTURE

Je me nomme Marie-Paillette... mais tout le monde m'appelle Marie-P! Mes parents m'ont donné ce prénom étrange à cause de mes yeux brillants. J'ai deux frères : un grand adolescent tannant, Victor-Étienne, et un bébé adorable comme tout, Charles-Brillant, que j'appelle Charles-B.

Depuis que j'ai découvert dans le grenier une loupe et un chapeau ayant appartenu à mon grand-père, j'ai décidé de devenir détective, comme lui ! Je note toutes mes aventures dans mon carnet, Nota Bene, affectueusement surnommé NB.

Je suis prête pour ma prochaine enquête. Toi aussi ?

1
PAS UN CHAT !

T u ne devineras jamais ce qui m'est arrivé aujourd'hui, NB ! Je te raconte ma journée...

D'abord, je me lève et je déjeune. Je sais, rien de bien inhabituel là-dedans. Ensuite, j'embrasse 14 fois mon adorable petit frère Charles-B et je ne dis pas un mot à mon grand frère Victor-Étienne. Encore là, aucune surprise. La routine. Puis, je quitte la maison. Il tombe de gros flocons.

J'arrive dans ma classe, nous faisons des mathématiques et nous sortons pour la récréation... Le ciel est plein d'**énormes** flocons et il s'est mis à venter. (Tu te demandes ce qu'il y a de si génial là-dedans, NB? Attends, ça s'en vient! Sois patient!) Nous retournons en classe. Quelques minutes plus tard, je regarde par la fenêtre : il neige à plein ciel... Les flocons sont maintenant **gigantesques**! La voix de la directrice se fait entendre à l'interphone :

– Votre attention, s'il vous plaît. En raison de la tempête de neige qui s'abat sur nous, l'école va fermer ses portes sur l'heure du midi et...

Ah! Voilà, tu as compris, pas vrai? CONGÉ D'ÉCOLE!!! La directrice continue de parler, NB, mais je n'arrive pas à entendre la suite : tout le monde crie trop fort dans la classe. Je l'avoue, je crie moi aussi. Encore plus fort que les autres. J'aime bien l'école, mais un congé imprévu, c'est tout de même fantastique, non?

Quand la cloche du dîner sonne, nous courons nous habiller. La mère de Laurie a proposé de me laisser chez moi pour éviter à mes parents de venir me chercher. Je monte dans la voiture, les yeux pétillants: comment occuper mon après-midi? Vais-je faire un bonhomme de neige? Regarder un film? Embrasser les joues rondes de Charles-B deux heures de temps?

> Tu trouves que j'exagère, NB? Mon petit frère est si craquant que je l'embrasserais pendant deux jours!

Vais-je me préparer un chocolat chaud? Lire un roman? Jouer à un jeu de société? Trouver un bon tour à faire à Victor-Étienne? Nous voilà devant chez moi. Je remercie la mère de Laurie et sors de la voiture. L'allée de notre maison et l'auto de ma mère sont déjà tout enneigées. Je fais de grands pas dans la neige molle qui m'arrive presque aux mollets.

Tiens, étrange : juste devant la porte, sous le portique, il y a des empreintes de chat... Je me demande bien quel matou a pu venir rôder par ici.

Bon, bon, bon. Alors, comment profiter de cet après-midi de congé surprise ? Cuisiner des biscuits aux pépites de chocolat avec ma mère ? Faire un casse-tête ? J'ouvre la porte de la maison, tout heureuse, et je crie :

– Coucou, c'est moi !

Aucune réaction. J'insiste :

– Je suis rentrée ! Et je suis en congé !

Toujours rien. Personne dans la cuisine ni dans le salon.

Inquiète, j'enlève mes bottes et mon manteau en vitesse. Je ne prends pas le temps d'ôter ma tuque. C'est louche, NB. D'habitude, quand je rentre, ma mère ou mon père vient m'accueillir. Mon adorable Charles-B me saute au cou. Notre chat Sherlock se frotte sur mes jambes. Mais là, rien.

Pas un chat.

Je cours jusqu'à la chambre de Charles-B, où j'entends des voix. J'ouvre... et le ciel me tombe sur la tête !

Non, rassure-toi, le ciel ne m'est pas vraiment tombé dessus, NB, c'est seulement une expression pour dire que ça va mal. Qu'une catastrophe est arrivée.

Je te le confirme, ça va très mal ! Mon petit frère, mon Charles-B adoré, pleure vraiment beaucoup. C'est déchirant. Il pousse de gros sanglots. Ma mère, assise par terre à ses côtés, essaie de le consoler. Je m'affole :

– Qu'est-ce qui se passe ?

Maman répond :

– On ne trouve plus Sherlock ! Je l'ai cherché partout dans la maison, Charles-B l'appelle sans arrêt, mais il ne vient pas...

Je pense aussitôt aux empreintes de chat vues sur le perron de la maison, dans la neige, sous le portique... Je demande :

– Crois-tu qu'il a pu sortir ?

Sherlock est un chat de maison. Il ne va jamais dehors. Ma mère réfléchit.

– Hum... eh bien, quand je suis arrivée et que j'ai ouvert la porte, j'avais les bras pleins : Charles-Brillant, le sac à couches, des provisions achetées à l'épicerie pour le souper... Je n'ai pas refermé la porte tout de suite, j'ai dû d'abord déposer mes achats... Il a pu se faufiler dehors pendant ce temps.

Je ne veux pas affoler Charles-B, mais c'est ce qui s'est passé, j'en ai bien peur. Notre Sherlock s'est sauvé. Je prends mon petit frère par les épaules :

– Ne t'en fais pas, Charles-B ! Je vais le retrouver. C'est une mission parfaite pour Marie-P, détective privée !

Il me fait un misérable minuscule sourire à travers ses larmes. Je murmure :

– Courage. Reste fort. Je reviendrai.

Je sais, ça sonne un peu dramatique, mais j'ai entendu un policier prononcer ces mots dans un film et c'était tellement beau... Je m'étais promis de les dire un jour !

Je cours dans ma chambre chercher ma loupe et mon imper. Pour aujourd'hui, je ne mettrai pas mon chapeau. Il fait vraiment froid et ma tuque me couvrira mieux les oreilles. Je m'habille en vitesse : habit de ski, foulard, bas chauds, deuxième paire de bas chauds, troisième paire de bas chauds... J'essaie de mettre mes bottes, mais ça ne rentre pas. J'enlève la troisième paire. J'enfile mon imper par-dessus tout ça. Bon, je sais que ça fait un peu drôle, mais on est professionnel ou on ne l'est pas. Heureusement, cet imper est très grand. J'ai peut-être l'air bizarre, mais au temps qu'il fait, je ne risque pas de rencontrer grand-monde dans la rue et je travaille toujours mieux quand j'ai mes accessoires de détective privée.

Ne me reste plus qu'à mettre mes mitaines, et voilà! Je suis prête à braver la tempête et à me lancer sur les traces de Sherlock le chat. Au boulot, Marie-P!

2
CHAT RECHERCHÉ

J'ai à peine ouvert la porte que ma mère surgit derrière moi :

– Marie-Paillette, où vas-tu comme ça ?

Bon, visiblement, ce n'est pas de ma mère que je tiens mes grands talents de détective. Il me semble que c'est facile de déduire ce que je m'apprête à faire...

– Je vais chercher Sherlock, voyons !

– Hum... je n'aime pas trop que tu sortes dehors en pleine tempête, toute seule...

J'essaie de la rassurer :

– Il n'a pas pu aller bien loin, maman. Je vais rester dans notre rue.

– Mais tu rentres dans 15-20 minutes, pas plus... Compris ?

C'est compris, mais je ne prends pas le temps de répondre. Le travail m'appelle. Je file dehors.

La première chose que je constate, dès que je suis sur le perron, c'est que les traces de chat ont disparu... Plus rien. Que de la belle neige blanche. Je pousse un soupir. Par où commencer, sans indice ?

Je vais dans l'entrée de la maison. J'ai du mal à avancer tellement il y a de la neige. J'en ai maintenant presque jusqu'aux genoux. Je dois lever mes jambes très haut à chaque pas.

Bon, tu vas me dire que
ce serait plus facile
sans imper, NB... Mais
demanderais-tu à un joueur
de hockey de jouer sans
équipement ? Ou à un clown
de travailler sans nez
rouge ?

Il neige plus que jamais et le vent me pince les joues. C'est difficile de garder les yeux ouverts avec la poudrerie. Je fais quelques pas et je regarde autour de moi. Je ne vois qu'un immense tapis blanc. Personne dehors, pas une voiture qui passe. Les bancs de neige grossissent à vue d'œil. Les flocons tourbillonnent follement. Je ne pourrai jamais retrouver Sherlock dans ce blizzard !

Je dois te l'avouer, NB, j'ai très envie de laisser tomber. De rentrer chez moi, bien à l'abri, et de boire un bon chocolat chaud. Peut-être que je suis

une détective d'été, après tout. Que je pourrais refuser les contrats l'hiver...

Je fais demi-tour et rebrousse chemin vers la maison. Et là... je lève la tête et j'aperçois le visage de mon petit frère adoré dans la fenêtre du salon. Le nez écrasé sur la vitre, les mains appuyées de chaque côté, il me regarde de ses grands yeux brillants. De grosses larmes roulent sur ses

joues. L'image même de la désolation. Je suis son seul espoir.

Ça va, j'ai compris. Pas moyen de reculer. Je dois à tout prix retrouver ce chat. Mon petit frère et lui sont inséparables. Je ne me le pardonnerai jamais s'il arrive quoi que ce soit à Sherlock sans que j'aie au moins essayé de le retrouver. Charles-B compte sur moi.

Il me faut un plan, alors... Je ne peux pas me contenter d'arpenter la rue et de chercher dans la neige, ça ne marchera pas.

Je réfléchis. Dans ma tête, ça tourne à toute vitesse, comme si un petit hamster s'amusait dans sa roue... et qu'il venait d'apprendre que l'école ferme à cause d'une tempête de neige! Tout excité, le hamster redouble de vitesse!

> Je sais que les hamsters ne vont pas à l'école, NB... C'est juste une image, tu comprends?

Donc, je réfléchis, je réfléchis, ça tourne, ça tourne... et soudain, j'y suis! J'ai une idée!

Je rentre à la maison en coup de vent! J'enlève mon imper, mes mitaines, mon foulard, ma tuque, mon habit de ski, une paire de bas chauds, une autre paire de bas chauds... et je cours chercher une pile de feuilles blanches et des crayons dans notre armoire de bricolage. Tu te demandes comment le fait de bricoler dans le salon pourra m'aider à retrouver un chat, NB? C'est une excellente question!

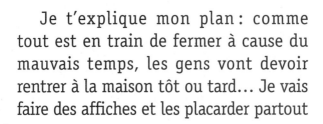

Je t'explique mon plan: comme tout est en train de fermer à cause du mauvais temps, les gens vont devoir rentrer à la maison tôt ou tard... Je vais faire des affiches et les placarder partout dans les environs, sur les poteaux, et peut-être même en distribuer dans les boîtes aux lettres. Les voisins les verront et, au lieu de chercher Sherlock toute seule, j'aurai l'aide de plein d'autres personnes pour enquêter avec moi. Les chances d'apercevoir un chat blotti dans la neige sont bien plus grandes si plusieurs savent que ledit animal a disparu !

Soudain… catastrophe ! Je me rends compte que nous n'avons pas de photo de Sherlock que je pourrais mettre  sur mon affiche… Il habite avec nous depuis quelques mois à peine, et je n'ai jamais pensé le photographier. J'ai bien un bout de son museau écrasé dans l'objectif de l'appareil photo, un jour où mon amie Laurie et moi avions fait une séance photo, ou une autre photographie sur laquelle on aperçoit le coin de son oreille, mais on ne le voit clairement sur aucune.

Tant pis, on ne m'appelle pas Miss Débrouillardise pour rien !

Quoi, NB? Tu te demandes qui m'appelle ainsi?... Bon, personne, tu as raison. Je viens de l'inventer. Mais ça m'irait très bien, non?

Donc, je décide de m'organiser avec ce que j'ai : des feuilles et des crayons.

Je fais une première affiche. En haut, j'écris en grosses lettres : CHAT RECHERCHÉ.

Puis, je fais un dessin de Sherlock. Je m'applique pour qu'il soit le plus ressemblant possible, mais ce n'est pas facile.

Je réalise soudain que si je mets trop de temps à faire mes affiches, notre chat pourra s'éloigner davantage de la maison. Je dois faire vite ! Je fais encore plusieurs autres affiches, mais j'augmente la cadence : je vais de plus en plus vite... et Sherlock se ressemble de moins en moins ! Mais j'imagine qu'il n'y a pas 30 chats perdus dans ma rue aujourd'hui !

Pour que ce soit plus clair, je tape quelques mots à l'ordinateur, j'imprime le tout en plusieurs copies et je colle le message suivant sous chaque dessin :

Il a deux oreilles. Deux yeux. De longues moustaches. Son poil est caramel.

Il s'appelle Sherlock et porte un collier tressé jaune et bleu (fait à la main) (par moi) (moi = Marie-P) autour du cou.

J'ajoute notre numéro de téléphone.

Ouf! Fini! Je suis fière de moi. J'ai réussi à faire une vingtaine d'affiches. Ne reste plus qu'à aller les distribuer, maintenant!

Ma mère m'oblige d'abord à manger un sandwich. J'expédie mon dîner vite fait, puis je cours à la porte d'entrée et je me rhabille. Je mets mon habit de ski, ma tuque, mon foulard, une paire de bas chauds, une deuxième paire de bas chauds, puis une troisième paire qui traîne sur le plancher. Mes bottes ne rentrent toujours pas. Zut! J'avais oublié! Je dois encore une fois enlever la troisième paire. Je mets mes bottes. Je me relève. J'enfile mon imper et mes mitaines.

Me voilà prête.

Attache ta tuque, Marie-P, la véritable enquête va commencer!

3
UN CHAT DANS LA GORGE

Je reprends courageusement ma mission et retourne dans la rue. Je te jure, NB, j'ai presque de la neige jusqu'aux cuisses! Quoi? Tu penses que j'exagère? Bon, peut-être un peu, mais pas beaucoup, en tout cas!

J'avance de quelques pas. Rien. Que du blanc à perte de vue. Aucune trace de chat nulle part. Je distribue mes affiches dans les boîtes aux lettres. J'essaie de les accrocher sur les poteaux, mais c'est inutile. Elles sont vite emportées par le vent.

La poudrerie me fouette les joues et pince ma peau. Je cale encore plus ma tuque sur mes oreilles et remonte mon foulard sur mon nez. Inutile de sortir ma loupe de ma poche, elle ne me servira à rien par ce temps. J'observe les environs le plus attentivement possible, mais pas de Sherlock à l'horizon.

Je continue à me frayer un chemin dans la tempête. Je distribue mes dernières affiches sans croiser personne. Toujours pas un chat. Je suis arrivée au coin de la rue des Marguerites. À quelques mètres de moi, j'aperçois la maison de madame Lucia, une vieille dame que j'ai rencontrée quand j'enquêtais sur une photo disparue.

J'hésite un moment. J'ai froid. J'ai beau être bien habillée, je grelotte. Mes doigts et mes orteils commencent à être engourdis. Et si j'allais rendre une petite visite à madame Lucia? Juste le temps de manger un ou deux biscuits? Ou bien trois ou quatre? Ou peut-être cinq ou six?

> Tu te souviens d'elle, NB? Elle faisait des biscuits au triple chocolat qui goûtaient le ciel! On ne peut pas l'oublier!

Mais l'image de mon petit frère désespéré collé à la fenêtre me revient en tête... Je n'ai pas le droit de l'abandonner. Courage, Marie-P!

Je m'éloigne à regret de la rue des Marguerites. Je retournerai visiter madame Lucia une autre fois. Concentrée sur mes recherches, je sursaute quand une silhouette surgit soudain près de moi.

– Aaaah !

– Ça va, Marie-P ?

J'observe un moment la forme humaine devant moi, recouverte de neige et tout emmitouflée, le visage camouflé derrière une tuque et un foulard. Je reconnais cet habit de ski... C'est celui de Cédric. Tu sais, Cédric, qui est dans ma classe ? Celui qui... comment dire... que je... euh... que je ne trouve pas laid, disons. Pas laid du

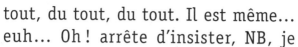

tout, du tout, du tout. Il est même...
euh... Oh! arrête d'insister, NB, je
l'avoue, bon: je
le trouve même
plutôt joli.
Beau comme
un cœur, pour
être honnête.

Tu trouves que
c'est une drôle
d'expression, NB? Moi
aussi! Franchement, selon
ce que j'ai vu dans les
livres, on ne peut pas dire
que le cœur humain soit
beau!

Mais je
m'éloigne du
sujet. Perdue
dans mes pen-
sées sur Cédric,
regrettant un peu d'avoir mis mon
imper par-dessus mon habit de ski,
finalement, les joues plus rouges que
jamais, je ne lui ai pas répondu encore.
Il s'inquiète:

– C'est toi, Marie-P? Tu vas bien?

Je suis si émue que j'en perds la
voix. Je réussis tant bien que mal à
coasser:

– Ouuui...

Beurk. J'ai la voix d'un crapaud enrhumé qui vient d'éternuer. Je dois me reprendre. Je toussote à quelques reprises, puis je finis par dire d'une voix à peu près normale :

– Désolée. J'ai un chat dans la gorge.

Rassure-toi, NB : aucun chat n'est entré dans ma bouche pour aller se cacher dans ma gorge ! Attends, je t'explique :

AVOIR UN CHAT DANS LA GORGE : être enroué. **Petit Robert**

Ma voix sonne encore un peu bizarre, mais elle est plus près d'une grenouille que d'un crapaud. C'est déjà ça.

– J'aidais mon père à pelleter l'entrée quand je t'ai vue passer. Qu'est-ce que tu fais dehors par un temps pareil ?

– Je cherche Sherlock. Notre chat.

Cédric demande :

– Il n'est pas dans ta gorge ?

Étonnée, et pas sûre de comprendre, je bredouille :

– Euh… quoi ?

Cédric baisse son foulard. Il sourit à pleines dents.

– Je te taquine ! Tu disais que tu avais un chat dans la gorge !

Je ris avec Cédric. Il propose :

– Tu veux que je t'aide à le trouver ? De quoi il a l'air ?

Je regrette de ne plus avoir d'affiches. Je reprends ce que j'y ai écrit :

– Eh bien, il a deux yeux, deux oreilles, le poil caramel. Il a un collier tressé jaune et bleu autour du cou. Fait à la main. Par moi.

Cette fois, je ne juge pas nécessaire d'ajouter « Moi = Marie-P » !

– Parfait ! J'ouvre l'œil. On va le retrouver !

Et voilà Cédric qui se met à marcher à mes côtés.

Il me semble qu'il fait moins froid, tout à coup. Je sens moins le vent sur mes joues. Même mes orteils et mes doigts gelés ne me dérangent plus tant que ça.

Donc, je continue de mener l'enquête avec le beau Cédric. Mon petit cœur bat très vite et je ne peux pas m'empêcher de sourire derrière mon foulard. Ce doit être à cause de la tempête et du congé. Tu ne penses pas, NB?

J'en oublie presque les biscuits au triple chocolat de madame Lucia, NB! Presque! Imagine!

4
DONNER SA LANGUE
AU CHAT

Cédric et moi, nous marchons depuis un bon moment déjà. Toujours aucune trace de Sherlock. Même si je suis contente que mon ami m'aide, je dois avouer que j'ai sérieusement envie de rentrer. J'y pense depuis plusieurs minutes déjà. D'abord, ma mère m'a demandé de ne pas rester dehors trop longtemps et, surtout, je ne sens plus du tout mes orteils. Ils sont complètement gelés. La neige n'arrête pas de tomber. Si ça continue, j'en aurai bientôt jusqu'au nombril. En plus, j'ai bien peur d'être en train de m'enrhumer. Je frissonne et je n'arrête pas d'éternuer.

Découragée, je finis par murmurer :

– Ça ne sert à rien, Cédric... On ne pourra jamais retrouver mon chat dans toute cette neige...

Il soupire.

– J'ai bien peur que tu aies raison, Marie-P. J'espère qu'il s'est trouvé un endroit pour se cacher et attendre la fin de la tempête.

Mon cœur fait un bond. Je souhaite tant que Sherlock soit bien à l'abri et qu'il puisse revenir chez nous ! Lui et Charles-B sont toujours ensemble... Mon petit frère serait démoli s'il devait perdre son compagnon.

Inquiète et attristée, je grogne :

– Bon, je vais rentrer... Merci pour ton aide, Cédric.

Je déteste avoir l'impression que j'ai raté ma mission. Cédric se rend sûrement compte de ma déception.

– Tu as vraiment fait tout ce que tu as pu... J'aurais voulu t'être plus utile,

Marie-P. Je vais te raccompagner jusque chez toi. Ça nous permettra de passer un peu plus de temps ensemble.

> *Cette fois, mon cœur fait 233 bonds, NB! Cédric a envie de passer plus de temps avec moi!*

J'essaie de ne pas trop montrer ma joie et je me contente de déclarer:

– Je voudrais bien savoir où se cache Sherlock… Mais ce n'est pas facile de le chercher, dans cette tempête. Je donne ma langue au chat pour cet après-midi.

– Moi aussi!

Cédric sourit. Après le chat dans la gorge, voilà qu'on donne maintenant notre langue au chat! Il continue:

– Si tu as envie de reprendre les recherches plus tard, ce soir par exemple, tu peux m'appeler.

Je peux l'appeler! Ça ressemble presque à un rendez-vous, tu ne trouves pas, NB? Je suis si énervée que je ne réponds pas. Je me contente de faire un petit signe de tête et je ne pense même pas à lui demander son numéro de téléphone.

Nous rebroussons chemin et retournons vers ma maison. Les flocons tombent toujours abondamment. Le vent est encore aussi fort. Nous voyons à peine où nous mettons nos bottes.

Nous voilà sur le trottoir en face de chez moi. Nous traversons la rue. Découragée de rentrer sans avoir retrouvé Sherlock et sans pouvoir rassurer mon petit frère, je donne un coup de pied rageur dans la neige qui recouvre l'asphalte. Les flocons tourbillonnent dans les airs.

– Attends un peu ! s'écrie soudain Cédric en se penchant.

– Qu'est-ce qu'il y a?

– Il me semble que j'ai vu quelque chose dans la neige.

Agenouillé en plein milieu de la rue, il tapote le sol avec ses mitaines.

– Ah ! Je savais que je n'avais pas rêvé ! Regarde !

> Tu comprends de quoi il s'agit, NB ? Un collier ! Jaune et bleu. Tressé à la main. Par moi. Moi, Marie-P.

Il brandit triomphalement un petit bout de corde jaune et bleu.

Je m'écrie :

– C'est le collier de Sherlock !

Je suis déchirée. Est-ce bon signe de trouver ce collier ici ? Notre chat n'est peut-être pas loin. S'il a perdu son collier juste devant la maison, et que je ne l'ai pas vu tout à l'heure, est-ce parce qu'il est revenu rôder près de chez nous ?

Ce peut aussi être un très mauvais signe... Le collier était peut-être là quand je suis sortie, mais je ne l'avais simplement pas vu à cause de la neige. Et si j'avais fait tout ça pour rien? Si Sherlock était là, tout près, recouvert de neige, complètement gelé? Ou si une voiture l'avait frappé?

Je regarde partout autour une fois de plus, en poussant un long soupir inquiet. Toujours sans résultat. Cédric me jette un regard triste entre sa tuque et son foulard.

– Bon, je vais rentrer me réchauffer un peu, Marie-P. J'envie presque le chat de vos voisins. Regarde comme il a l'air bien!

Je reste un moment bouche bée. Je suis le regard de Cédric et, à travers la neige qui tombe, je découvre un matou confortablement allongé sur la tablette d'une fenêtre.

– Mais... mais Cédric! Je n'ai jamais vu de chat chez mes voisins...

Je brave la tempête, je monte sur le terrain et j'avance. J'ai presque de la neige jusqu'au cou, mais je tiens bon. Je comprends rapidement que j'avais raison... Plus je m'approche, plus ma première impression se confirme. Je me retourne vers Cédric et je hurle :

– C'est Sherlock ! Cédric, on l'a retrouvé ! On a retrouvé mon chat !!!

Je suis folle de joie ! Je retourne le plus vite possible vers mon ami et, sans réfléchir, je lui saute au cou !

Je l'enlace quelques secondes seulement, NB, parce que je suis trop contente ! Ne va pas croire que c'est parce que je le trouve de mon goût !

Bon, soyons honnête : oui, je le trouve de mon goût, mais ça n'a rien à voir avec le fait que je lui saute au cou. Arrête de te faire des idées, NB !

Cédric est aussi ravi que moi.

– Tu veux que j'aille le chercher avec toi ?

– Non, merci, Cédric, tu en as assez fait ! Va vite te réchauffer chez toi. Et merci encore pour ton aide !

Je le regarde s'éloigner dans la tempête quelques secondes. Puis, le cœur battant, les joues plus rouges que jamais (à cause du mauvais temps, NB, juste à cause du mauvais temps...), je cours frapper à la porte des voisins.

5
UN CHAT DE SALON

Tu te demandes ce que notre chat faisait chez nos voisins, pas vrai, NB? Imagine-toi donc que je me posais exactement la même question. Je t'explique...

Je frappe à la porte, donc. Debout dans la neige presque jusqu'au menton, j'attends que quelqu'un réponde. On ouvre enfin. Un homme m'invite à entrer. Sa femme est assise à la table de la cuisine, en train de boire un café. Je les ai déjà vus à quelques reprises, bien sûr, je les salue quand je les croise, mais je ne les connais pas beaucoup.

Je m'engouffre dans la maison, rentrant du même coup avec moi une tonne de flocons qui tombent de mon imper. Le voisin regarde d'un œil étonné mon accoutrement, comme si c'était bizarre de porter un imper de détective pardessus un habit de ski...

Bon, d'accord, NB, tu as encore raison: c'est effectivement bizarre. Mais je suis une détective sérieuse, moi! Je prends mon travail à cœur.

L'homme me demande :

– Tu es la voisine d'à côté, n'est-ce pas ? Je peux faire quelque chose pour toi ?

Je me méfie. Ont-ils tenté de voler Sherlock ? Va-t-il me faire croire qu'il n'y a pas de chat ici ? Je commence :

– Eh bien, voyez-vous, nous avons perdu notre chat et je pense que je l'ai vu...

Sa femme ne me laisse pas le temps de finir ma phrase :

– Ah, c'est à toi, le beau chat que j'ai trouvé ! Quand je suis rentrée du travail, tout à l'heure, il miaulait comme un désespéré devant mon entrée. Je ne savais même pas que tu avais un chat !

– Oui, depuis quelques mois...

– Je ne pouvais pas l'abandonner dehors avec toute la neige qui tombait. Je l'ai fait entrer et je lui ai donné du lait. Il est vraiment gentil. Il s'est laissé caresser une heure de temps!

Je n'en reviens pas! Pendant que j'affrontais la tempête pour retrouver Sherlock, que je me gelais les doigts, les orteils et le bout des oreilles, monsieur le chat de salon dormait tranquillement chez le voisin, se faisait flatter, bien au chaud et le ventre plein! Grrr!

Mais je ne peux pas lui en vouloir longtemps: Sherlock arrive dans la cuisine, il bondit vers moi et se met à se frotter sur mes mollets en ronronnant très fort.

– On dirait qu'il est content de te voir! lance le voisin.

– Et j'en connais un autre qui sera heureux de le retrouver! Mon petit frère l'adore!

Je les remercie encore mille fois d'avoir sauvé la vie à Sherlock.

Non, NB, je n'exagère pas, cette fois! Qui sait ce qui serait arrivé à notre pauvre chat, seul en pleine tempête, lui qui ne sort jamais de la maison?

Je cours ensuite jusque chez moi aussi vite que les bancs de neige me le permettent. J'entre en vitesse dans la maison, Sherlock dans les bras. Dans le salon, j'entends maman qui s'écrie:

– Enfin! J'étais inquiète... Veux-tu bien me dire...

Je l'interromps:

– Viens voir! J'ai une surprise!

Maman accourt, suivie de Charles-B, qui marche aussi vite que possible. Elle s'exclame :

– Marie-Paillette, tu as réussi ! Tu l'as retrouvé ! Comment as-tu fait ? Où était-il ?

Sherlock se défait de mon emprise. Il bondit par terre et se précipite vers Charles-B, qui crie de joie :

– Oh… Mali… vo ! Glabipionne !

Je ne suis pas certaine, mais d'après moi, en langage Charles-B, ça signifie : «Oh! Marie-P, bravo! Tu es une véritable championne!»

Charles-B s'empare de Sherlock et ne le quitte plus de toute la journée. Moi, je m'empresse d'aller dans ma chambre, je retire mes vêtements humides, j'enfile un pyjama confortable, même si on est en plein après-midi, et je bois à petites gorgées le délicieux chocolat chaud que ma mère m'a préparé... Le bonheur! Puis, je mets mon chapeau de détective et je m'installe pour tout te raconter, NB.

Je frissonne, j'éternue sans arrêt, j'ai les joues brûlantes.

– Atchoum!

Je pense que j'ai attrapé un bon rhume en courant les rues du quartier en pleine tempête. Mais je ne regrette rien. Sherlock est sauvé, Charles-B est fou de joie et j'ai quand même passé un bon moment avec Cédric...

Je dois rêver, ou alors je fais de la fièvre et j'ai des hallucinations : il me semble que de petits cœurs se mettent à tourbillonner dans la pièce chaque fois que j'écris le nom de Cédric sur tes pages, NB!

Je lève la tête et regarde la photo de mon grand-père. Le sourire qu'il m'adresse sur la photo est si moqueur qu'on croirait presque que c'est lui qui a entrouvert la porte de  la maison pour que Sherlock se sauve et que je puisse vivre cette aventure...

– Atchoum! Atchoum!

Bon, je dois arrêter de me faire des idées!

Pour la trentième fois de l'après-midi, l'adorable Charles-B pousse la porte de ma chambre et vient me faire le plus gros câlin du monde. Chaque fois, il dépose un gros bec mouillé sur ma joue et déclare :

– Ci... Mari... ème.

Cette fois, c'est clair! Aucun doute possible. Il me dit : « Merci, Marie-P, je t'aime ! »

Le mignon Charles-B repart, en serrant Sherlock contre lui. Tu devrais voir mon frère, NB ! J'ai retrouvé son chat : pour lui, je suis devenue une héroïne ! Il me regarde exactement comme il regarde les superhéros dans ses émissions de télévision du matin.

C'est vrai que j'ai les doigts gelés et le nez tout rouge, mais ça en valait largement la peine. Tu entends ça, NB ? Ou plutôt, tu lis ça ?

Je suis Superman !

Je suis Batman !

Je suis Spiderman !

Rien de moins.

Et puis, au fond, c'est encore mieux : je suis tout simplement moi-même, je suis Marie-P, détective privée !

LES AVENTURES DE MARIE-P

Auteure: Martine Latulippe
Illustrateur: Fabrice Boulanger

www.mariepdetective.ca

MARQUIS

Québec, Canada